ẏPad half origin

ẏPad half User's Guide #01

Wide Screen

1つの見開きで、1週間のスケジュールと、
15のジョブやタスクの進行を
同時に見ることができます。

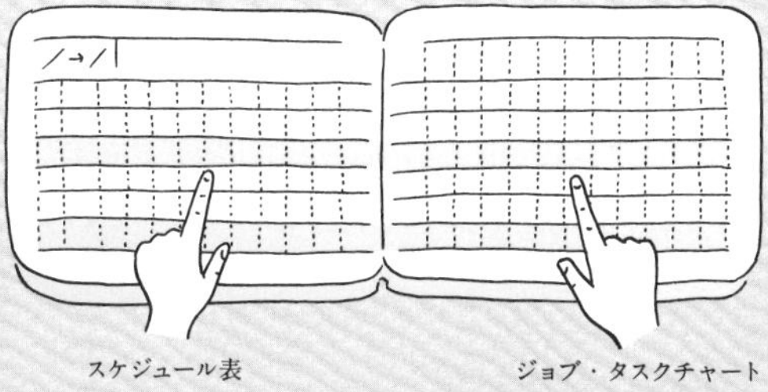

Memo & Sketch

広々としたフリーページが1見開きごとに
はいっているので、書いたり、描いたり、
自由にお使いいただけます。

Write in the date

日付記入式なので、
今日から使えます。
いつでもはじめられます。

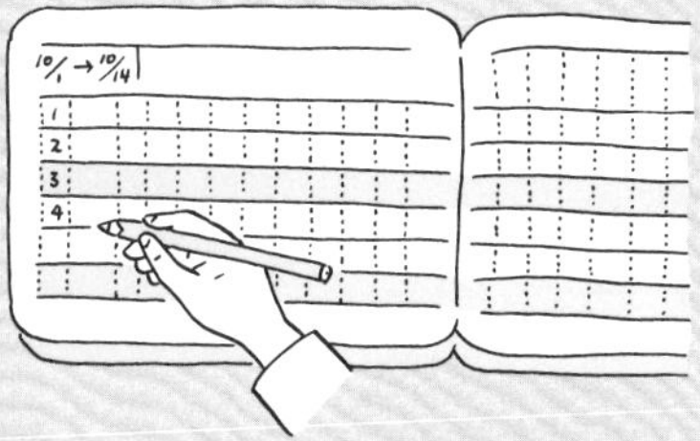

ẏPad halfのサイズは
新しいアノPadのサイズのおおよそ半分
（半分より少し大きい）

H 129㎜
W 186㎜

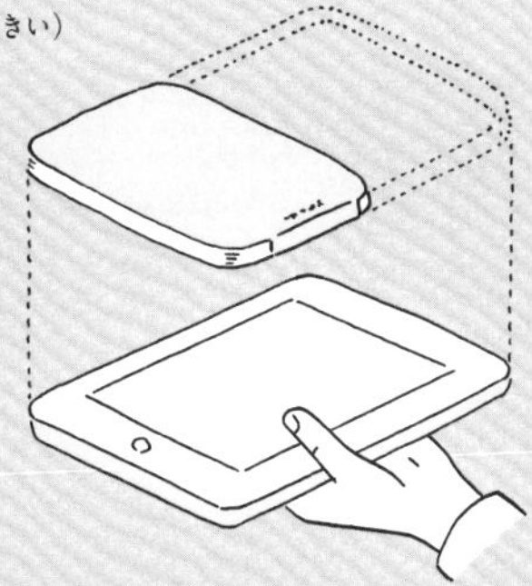

このウスさで1年+2週間分。
378日お使いいただけます。

1 Year + α

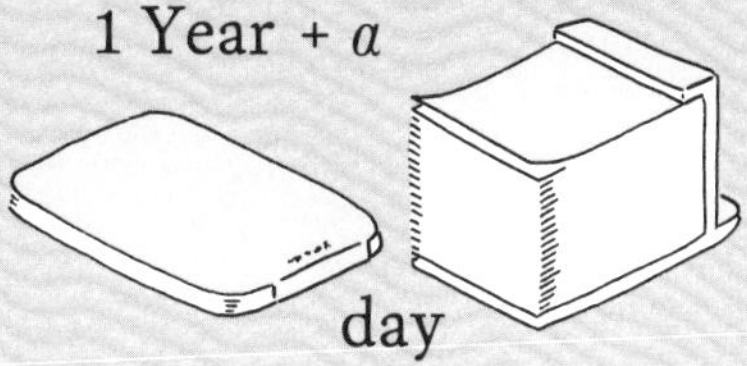

ẏPad half User's Guide #02

期間を記入するスペース。
前のページと連続していなくても
使えます。

意外と貴重な
メモスペース。
お好きにお使いください。

シートナンバー。

日付は自分で。
いきなりマチガエて
やる気を失わないように。

途中で月が変わる時は
こんなかんじで記入。

祝日は色をつけて
おくとわかりやすいでしょう。

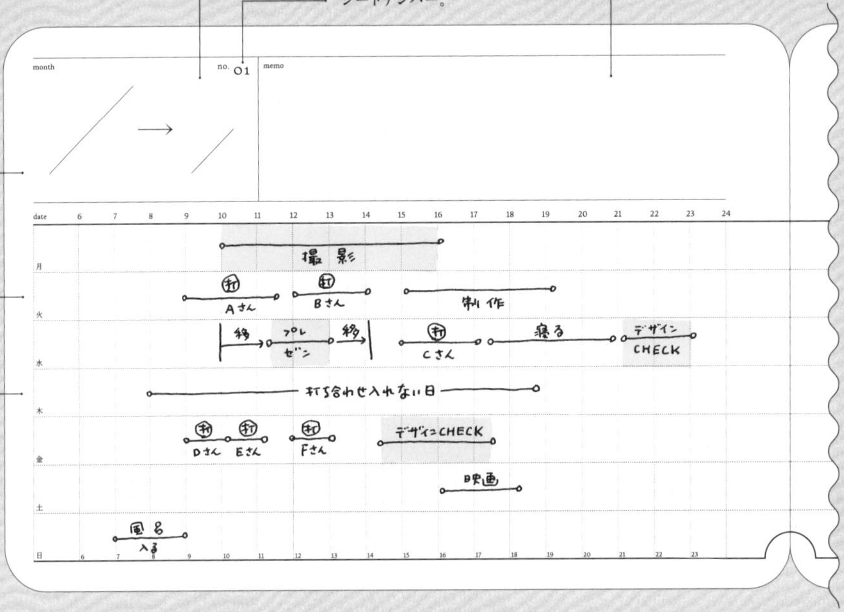

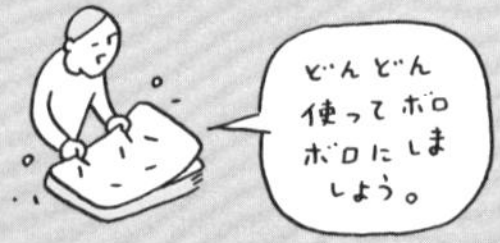

スケジュール表はヨコに使います。

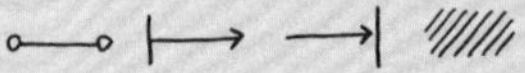

といった時間を表す記号を使うと、よりわかりやすくなります。

ジョブやプロジェクトごとに、
行を空けておくと
見やすくなります。

1つのプロジェクトに、いろいろなジョブやタスクが
別々のスケジュールで動くことは多いものです。
内容を小分けにしておくと、
よりスケジュールを正確に整理できます。

ジョブやプロジェクト、
タスクの名前を書くスペース。
To Do や、ちょっとしたことも
ここに書いておくと忘れません。

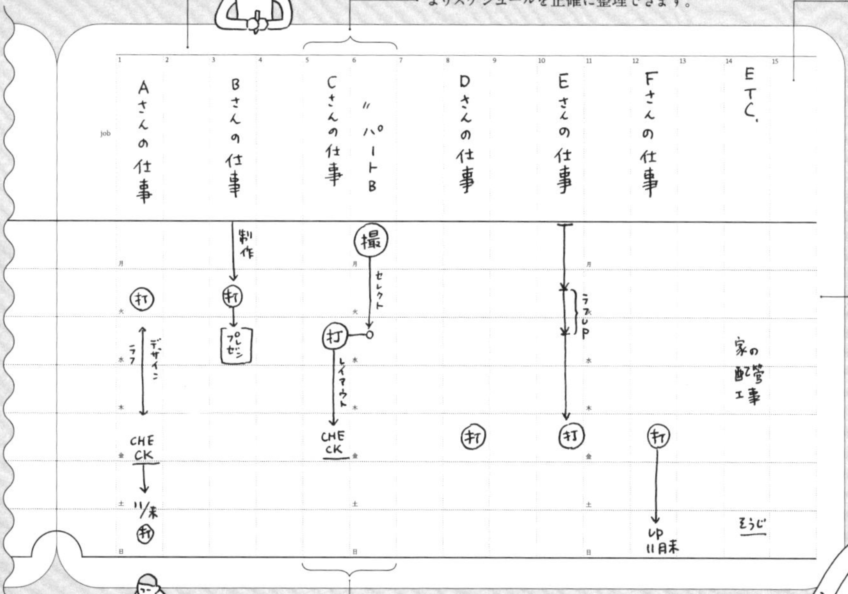

プロジェクトテーブルは
タテに使います。

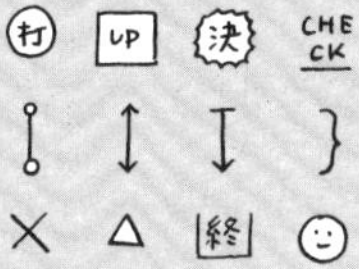

などの記号を上手に
使ったり、色を分けると
よりわかりやすくなります。

タテの列をヨコにつないで、
ワークフローのように
チャート化して
使うこともできます。

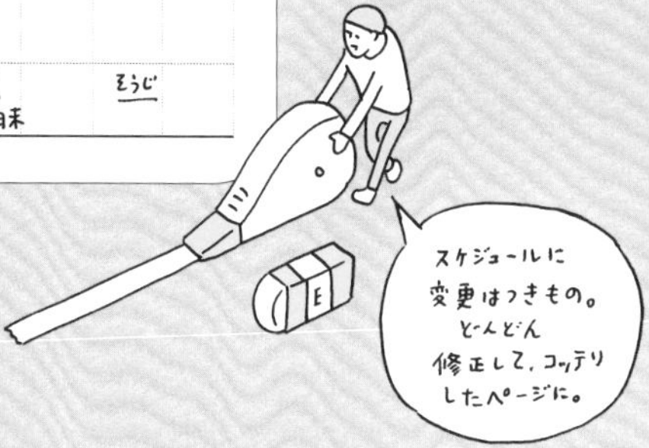

ẏPad half User's Guide #03

Busy

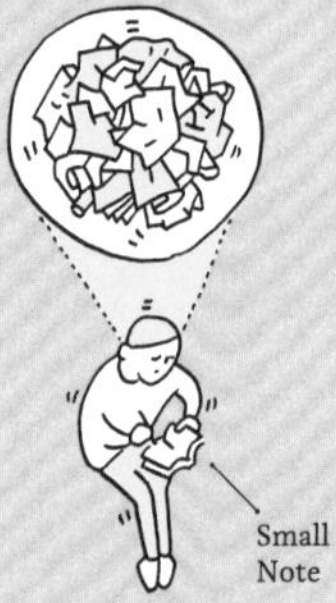

スケジュールの整理を
メンドクサイ雑用と
考えるのではなくて、

Clear

むしろ、今の自分を知る
貴重な時間だと考えるとこれほど
面白い時間はありません。

Good Time

コーヒー、紅茶のおともに
ẏPad half。頭を整理して
静かなひとときをお過ごしください。

no. 01

no. 02

no. 03

no. 04

no. 05

no. 06

no. 07

no. 08

no. 09

no. 10

no. 11

no. 12

no. 13

no. 14

no. 15

no. 16

no. 17

no. 18

no. 19

no. 20

no. 21

no. 22

no. 23

no. 24

no. 25

no. 26

no. 27

no. 28

no. 29

no. 30

no. 31

no. 32

no. 33

no. 34

no. 35

no. 36

no. 37

no. 38

no. 39

no. 40

no. 41

no. 42

no. 43

no. 44

no. 45

no. 46

no. 47

no. 48

no. 49

no. 50

no. 51

no. 52

no. 53

no. 54

month → no. 01

memo

date	6	7	8	9	10	11	12	13	14	15	16	17	18	19	20	21	22	23	24
月																			
火																			
水																			
木																			
金																			
土																			
日	6	7	8	9	10	11	12	13	14	15	16	17	18	19	20	21	22	23	

1	2	3	4	5	6	7	8	9	10	11	12	13	14	15
月					月					月				
火					火					火				
水					水					水				
木					木					木				
金					金					金				
土					土					土				
日					日					日				

month no. 02

/ → /

memo

date	6	7	8	9	10	11	12	13	14	15	16	17	18	19	20	21	22	23	24
月																			
火																			
水																			
木																			
金																			
土																			
日	6	7	8	9	10	11	12	13	14	15	16	17	18	19	20	21	22	23	

1	2	3	4	5	6	7	8	9	10	11	12	13	14	15
月					月					月				
火					火					火				
水					水					水				
木					木					木				
金					金					金				
土					土					土				
日					日					日				

month ／ → ／ no. 03

memo

date	6	7	8	9	10	11	12	13	14	15	16	17	18	19	20	21	22	23	24
月																			
火																			
水																			
木																			
金																			
土																			
日	6	7	8	9	10	11	12	13	14	15	16	17	18	19	20	21	22	23	

1	2	3	4	5	6	7	8	9	10	11	12	13	14	15
月					月					月				
火					火					火				
水					水					水				
木					木					木				
金					金					金				
土					土					土				
日					日					日				

month no. 04

memo

date	6	7	8	9	10	11	12	13	14	15	16	17	18	19	20	21	22	23	24
月																			
火																			
水																			
木																			
金																			
土																			
日	6	7	8	9	10	11	12	13	14	15	16	17	18	19	20	21	22	23	

1	2	3	4	5	6	7	8	9	10	11	12	13	14	15
月					月					月				
火					火					火				
水					水					水				
木					木					木				
金					金					金				
土					土					土				
日					日					日				

month no. 05

memo

date	6	7	8	9	10	11	12	13	14	15	16	17	18	19	20	21	22	23	24
月																			
火																			
水																			
木																			
金																			
土																			
日	6	7	8	9	10	11	12	13	14	15	16	17	18	19	20	21	22	23	

1	2	3	4	5	6	7	8	9	10	11	12	13	14	15
月					月					月				
火					火					火				
水					水					水				
木					木					木				
金					金					金				
土					土					土				
日					日					日				

month no. 06

memo

date	6	7	8	9	10	11	12	13	14	15	16	17	18	19	20	21	22	23	24
月																			
火																			
水																			
木																			
金																			
土																			
日	6	7	8	9	10	11	12	13	14	15	16	17	18	19	20	21	22	23	

1	2	3	4	5	6	7	8	9	10	11	12	13	14	15
月					月					月				
火					火					火				
水					水					水				
木					木					木				
金					金					金				
土					土					土				
日					日					日				

month

no. 07

memo

date	6	7	8	9	10	11	12	13	14	15	16	17	18	19	20	21	22	23	24
月																			
火																			
水																			
木																			
金																			
土																			
日	6	7	8	9	10	11	12	13	14	15	16	17	18	19	20	21	22	23	

1	2	3	4	5	6	7	8	9	10	11	12	13	14	15
月					月					月				
火					火					火				
水					水					水				
木					木					木				
金					金					金				
土					土					土				
日					日					日				

month

no. 08

memo

date	6	7	8	9	10	11	12	13	14	15	16	17	18	19	20	21	22	23	24
月																			
火																			
水																			
木																			
金																			
土																			
日	6	7	8	9	10	11	12	13	14	15	16	17	18	19	20	21	22	23	

1	2	3	4	5	6	7	8	9	10	11	12	13	14	15
月					月					月				
火					火					火				
水					水					水				
木					木					木				
金					金					金				
土					土					土				
日					日					日				

month

no. 09

/ → /

memo

date	6	7	8	9	10	11	12	13	14	15	16	17	18	19	20	21	22	23	24
月																			
火																			
水																			
木																			
金																			
土																			
日	6	7	8	9	10	11	12	13	14	15	16	17	18	19	20	21	22	23	

1	2	3	4	5	6	7	8	9	10	11	12	13	14	15
月					月					月				
火					火					火				
水					水					水				
木					木					木				
金					金					金				
土					土					土				
日					日					日				

month / → /

no. 10

memo

date	6	7	8	9	10	11	12	13	14	15	16	17	18	19	20	21	22	23	24
月																			
火																			
水																			
木																			
金																			
土																			
日	6	7	8	9	10	11	12	13	14	15	16	17	18	19	20	21	22	23	

1	2	3	4	5	6	7	8	9	10	11	12	13	14	15
月					月					月				
火					火					火				
水					水					水				
木					木					木				
金					金					金				
土					土					土				
日					日					日				

month no. 11

memo

date	6	7	8	9	10	11	12	13	14	15	16	17	18	19	20	21	22	23	24
月																			
火																			
水																			
木																			
金																			
土																			
日	6	7	8	9	10	11	12	13	14	15	16	17	18	19	20	21	22	23	

1	2	3	4	5	6	7	8	9	10	11	12	13	14	15
月					月					月				
火					火					火				
水					水					水				
木					木					木				
金					金					金				
土					土					土				
日					日					日				

month no. 12

/ → /

memo

date	6	7	8	9	10	11	12	13	14	15	16	17	18	19	20	21	22	23	24
月																			
火																			
水																			
木																			
金																			
土																			
日	6	7	8	9	10	11	12	13	14	15	16	17	18	19	20	21	22	23	

1	2	3	4	5	6	7	8	9	10	11	12	13	14	15
月					月					月				
火					火					火				
水					水					水				
木					木					木				
金					金					金				
土					土					土				
日					日					日				

month no. 13

memo

date	6	7	8	9	10	11	12	13	14	15	16	17	18	19	20	21	22	23	24
月																			
火																			
水																			
木																			
金																			
土																			
日	6	7	8	9	10	11	12	13	14	15	16	17	18	19	20	21	22	23	

1	2	3	4	5	6	7	8	9	10	11	12	13	14	15
月					月					月				
火					火					火				
水					水					水				
木					木					木				
金					金					金				
土					土					土				
日					日					日				

month / → / no. 14

memo

date	6	7	8	9	10	11	12	13	14	15	16	17	18	19	20	21	22	23	24
月																			
火																			
水																			
木																			
金																			
土																			
日	6	7	8	9	10	11	12	13	14	15	16	17	18	19	20	21	22	23	

1	2	3	4	5	6	7	8	9	10	11	12	13	14	15
月					月					月				
火					火					火				
水					水					水				
木					木					木				
金					金					金				
土					土					土				
日					日					日				

month

no. 15

/ → /

memo

date	6	7	8	9	10	11	12	13	14	15	16	17	18	19	20	21	22	23	24
月																			
火																			
水																			
木																			
金																			
土																			
日	6	7	8	9	10	11	12	13	14	15	16	17	18	19	20	21	22	23	

1	2	3	4	5	6	7	8	9	10	11	12	13	14	15
月					月					月				
火					火					火				
水					水					水				
木					木					木				
金					金					金				
土					土					土				
日					日					日				

month / → / no. 16

memo

date	6	7	8	9	10	11	12	13	14	15	16	17	18	19	20	21	22	23	24
月																			
火																			
水																			
木																			
金																			
土																			
日	6	7	8	9	10	11	12	13	14	15	16	17	18	19	20	21	22	23	

1	2	3	4	5	6	7	8	9	10	11	12	13	14	15
月					月					月				
火					火					火				
水					水					水				
木					木					木				
金					金					金				
土					土					土				
日					日					日				

month

no. 17

/ → /

memo

date	6	7	8	9	10	11	12	13	14	15	16	17	18	19	20	21	22	23	24
月																			
火																			
水																			
木																			
金																			
土																			
日	6	7	8	9	10	11	12	13	14	15	16	17	18	19	20	21	22	23	

1	2	3	4	5	6	7	8	9	10	11	12	13	14	15
月					月					月				
火					火					火				
水					水					水				
木					木					木				
金					金					金				
土					土					土				
日					日					日				

month

no. 18

memo

date	6	7	8	9	10	11	12	13	14	15	16	17	18	19	20	21	22	23	24
月																			
火																			
水																			
木																			
金																			
土																			
日	6	7	8	9	10	11	12	13	14	15	16	17	18	19	20	21	22	23	

1	2	3	4	5	6	7	8	9	10	11	12	13	14	15

月					月					月				
火					火					火				
水					水					水				
木					木					木				
金					金					金				
土					土					土				
日					日					日				

month / → / no. 19

memo

date	6	7	8	9	10	11	12	13	14	15	16	17	18	19	20	21	22	23	24
月																			
火																			
水																			
木																			
金																			
土																			
日	6	7	8	9	10	11	12	13	14	15	16	17	18	19	20	21	22	23	

1	2	3	4	5	6	7	8	9	10	11	12	13	14	15
月					月					月				
火					火					火				
水					水					水				
木					木					木				
金					金					金				
土					土					土				
日					日					日				

month / → / no. 20

memo

date	6	7	8	9	10	11	12	13	14	15	16	17	18	19	20	21	22	23	24
月																			
火																			
水																			
木																			
金																			
土																			
日	6	7	8	9	10	11	12	13	14	15	16	17	18	19	20	21	22	23	

1	2	3	4	5	6	7	8	9	10	11	12	13	14	15
月					月					月				
火					火					火				
水					水					水				
木					木					木				
金					金					金				
土					土					土				
日					日					日				

month / → / no. 21

memo

date	6	7	8	9	10	11	12	13	14	15	16	17	18	19	20	21	22	23	24
月																			
火																			
水																			
木																			
金																			
土																			
日	6	7	8	9	10	11	12	13	14	15	16	17	18	19	20	21	22	23	

1	2	3	4	5	6	7	8	9	10	11	12	13	14	15
月					月					月				
火					火					火				
水					水					水				
木					木					木				
金					金					金				
土					土					土				
日					日					日				

month

no. 22

memo

date	6	7	8	9	10	11	12	13	14	15	16	17	18	19	20	21	22	23	24
月																			
火																			
水																			
木																			
金																			
土																			
日	6	7	8	9	10	11	12	13	14	15	16	17	18	19	20	21	22	23	

1	2	3	4	5	6	7	8	9	10	11	12	13	14	15
月					月					月				
火					火					火				
水					水					水				
木					木					木				
金					金					金				
土					土					土				
日					日					日				

month

/ → /

no. 23

memo

date	6	7	8	9	10	11	12	13	14	15	16	17	18	19	20	21	22	23	24
月																			
火																			
水																			
木																			
金																			
土																			
日	6	7	8	9	10	11	12	13	14	15	16	17	18	19	20	21	22	23	

1	2	3	4	5	6	7	8	9	10	11	12	13	14	15
月					月					月				
火					火					火				
水					水					水				
木					木					木				
金					金					金				
土					土					土				
日					日					日				

month

no. 24

memo

date	6	7	8	9	10	11	12	13	14	15	16	17	18	19	20	21	22	23	24
月																			
火																			
水																			
木																			
金																			
土																			
日	6	7	8	9	10	11	12	13	14	15	16	17	18	19	20	21	22	23	

1	2	3	4	5	6	7	8	9	10	11	12	13	14	15
月					月					月				
火					火					火				
水					水					水				
木					木					木				
金					金					金				
土					土					土				
日					日					日				

month no. 25

memo

date	6	7	8	9	10	11	12	13	14	15	16	17	18	19	20	21	22	23	24
月																			
火																			
水																			
木																			
金																			
土																			
日	6	7	8	9	10	11	12	13	14	15	16	17	18	19	20	21	22	23	

1	2	3	4	5	6	7	8	9	10	11	12	13	14	15
月					月					月				
火					火					火				
水					水					水				
木					木					木				
金					金					金				
土					土					土				
日					日					日				

month

no. 26

→

memo

date	6	7	8	9	10	11	12	13	14	15	16	17	18	19	20	21	22	23	24
月																			
火																			
水																			
木																			
金																			
土																			
日	6	7	8	9	10	11	12	13	14	15	16	17	18	19	20	21	22	23	

1	2	3	4	5	6	7	8	9	10	11	12	13	14	15
月					月					月				
火					火					火				
水					水					水				
木					木					木				
金					金					金				
土					土					土				
日					日					日				

month

no. 27

→

memo

date	6	7	8	9	10	11	12	13	14	15	16	17	18	19	20	21	22	23	24
月																			
火																			
水																			
木																			
金																			
土																			
日	6	7	8	9	10	11	12	13	14	15	16	17	18	19	20	21	22	23	

1	2	3	4	5	6	7	8	9	10	11	12	13	14	15
月					月					月				
火					火					火				
水					水					水				
木					木					木				
金					金					金				
土					土					土				
日					日					日				

month / → / no. 28

memo

date	6	7	8	9	10	11	12	13	14	15	16	17	18	19	20	21	22	23	24
月																			
火																			
水																			
木																			
金																			
土																			
日	6	7	8	9	10	11	12	13	14	15	16	17	18	19	20	21	22	23	

1	2	3	4	5	6	7	8	9	10	11	12	13	14	15
月					月					月				
火					火					火				
水					水					水				
木					木					木				
金					金					金				
土					土					土				
日					日					日				

month　　no. 29

/ → /

memo

date	6	7	8	9	10	11	12	13	14	15	16	17	18	19	20	21	22	23	24
月																			
火																			
水																			
木																			
金																			
土																			
日	6	7	8	9	10	11	12	13	14	15	16	17	18	19	20	21	22	23	

1	2	3	4	5	6	7	8	9	10	11	12	13	14	15
月					月					月				
火					火					火				
水					水					水				
木					木					木				
金					金					金				
土					土					土				
日					日					日				

month → no. 30

memo

date	6	7	8	9	10	11	12	13	14	15	16	17	18	19	20	21	22	23	24
月																			
火																			
水																			
木																			
金																			
土																			
日	6	7	8	9	10	11	12	13	14	15	16	17	18	19	20	21	22	23	

1	2	3	4	5	6	7	8	9	10	11	12	13	14	15
月					月					月				
火					火					火				
水					水					水				
木					木					木				
金					金					金				
土					土					土				
日					日					日				

month no. 31

memo

date	6	7	8	9	10	11	12	13	14	15	16	17	18	19	20	21	22	23	24
月																			
火																			
水																			
木																			
金																			
土																			
日	6	7	8	9	10	11	12	13	14	15	16	17	18	19	20	21	22	23	

1	2	3	4	5	6	7	8	9	10	11	12	13	14	15
月					月					月				
火					火					火				
水					水					水				
木					木					木				
金					金					金				
土					土					土				
日					日					日				

month

no. 32

memo

date	6	7	8	9	10	11	12	13	14	15	16	17	18	19	20	21	22	23	24
月																			
火																			
水																			
木																			
金																			
土																			
日	6	7	8	9	10	11	12	13	14	15	16	17	18	19	20	21	22	23	

1	2	3	4	5	6	7	8	9	10	11	12	13	14	15
月					月					月				
火					火					火				
水					水					水				
木					木					木				
金					金					金				
土					土					土				
日					日					日				

month no. 33

memo

date	6	7	8	9	10	11	12	13	14	15	16	17	18	19	20	21	22	23	24
月																			
火																			
水																			
木																			
金																			
土																			
日	6	7	8	9	10	11	12	13	14	15	16	17	18	19	20	21	22	23	

1	2	3	4	5	6	7	8	9	10	11	12	13	14	15
月					月					月				
火					火					火				
水					水					水				
木					木					木				
金					金					金				
土					土					土				
日					日					日				

month → no. 34

memo

date	6	7	8	9	10	11	12	13	14	15	16	17	18	19	20	21	22	23	24
月																			
火																			
水																			
木																			
金																			
土																			
日	6	7	8	9	10	11	12	13	14	15	16	17	18	19	20	21	22	23	

1	2	3	4	5	6	7	8	9	10	11	12	13	14	15
月					月					月				
火					火					火				
水					水					水				
木					木					木				
金					金					金				
土					土					土				
日					日					日				

month

/ → /

no. 35

memo

date	6	7	8	9	10	11	12	13	14	15	16	17	18	19	20	21	22	23	24
月																			
火																			
水																			
木																			
金																			
土																			
日	6	7	8	9	10	11	12	13	14	15	16	17	18	19	20	21	22	23	

1	2	3	4	5	6	7	8	9	10	11	12	13	14	15
月					月					月				
火					火					火				
水					水					水				
木					木					木				
金					金					金				
土					土					土				
日					日					日				

month no. 36

/ → /

memo

date	6	7	8	9	10	11	12	13	14	15	16	17	18	19	20	21	22	23	24
月																			
火																			
水																			
木																			
金																			
土																			
日	6	7	8	9	10	11	12	13	14	15	16	17	18	19	20	21	22	23	

1	2	3	4	5	6	7	8	9	10	11	12	13	14	15
月					月					月				
火					火					火				
水					水					水				
木					木					木				
金					金					金				
土					土					土				
日					日					日				

month　　　　no. 37

/ → /

memo

date	6	7	8	9	10	11	12	13	14	15	16	17	18	19	20	21	22	23	24
月																			
火																			
水																			
木																			
金																			
土																			
日	6	7	8	9	10	11	12	13	14	15	16	17	18	19	20	21	22	23	

1	2	3	4	5	6	7	8	9	10	11	12	13	14	15
月					月					月				
火					火					火				
水					水					水				
木					木					木				
金					金					金				
土					土					土				
日					日					日				

month

no. 38

memo

date	6	7	8	9	10	11	12	13	14	15	16	17	18	19	20	21	22	23	24
月																			
火																			
水																			
木																			
金																			
土																			
日	6	7	8	9	10	11	12	13	14	15	16	17	18	19	20	21	22	23	

1	2	3	4	5	6	7	8	9	10	11	12	13	14	15
月					月					月				
火					火					火				
水					水					水				
木					木					木				
金					金					金				
土					土					土				
日					日					日				

month / → / no. 39

memo

date	6	7	8	9	10	11	12	13	14	15	16	17	18	19	20	21	22	23	24
月																			
火																			
水																			
木																			
金																			
土																			
日	6	7	8	9	10	11	12	13	14	15	16	17	18	19	20	21	22	23	

1	2	3	4	5	6	7	8	9	10	11	12	13	14	15
月					月					月				
火					火					火				
水					水					水				
木					木					木				
金					金					金				
土					土					土				
日					日					日				

month

no. 40

memo

date	6	7	8	9	10	11	12	13	14	15	16	17	18	19	20	21	22	23	24
月																			
火																			
水																			
木																			
金																			
土																			
日	6	7	8	9	10	11	12	13	14	15	16	17	18	19	20	21	22	23	

1	2	3	4	5	6	7	8	9	10	11	12	13	14	15
月					月					月				
火					火					火				
水					水					水				
木					木					木				
金					金					金				
土					土					土				
日					日					日				

month / → / no. 41

memo

date	6	7	8	9	10	11	12	13	14	15	16	17	18	19	20	21	22	23	24
月																			
火																			
水																			
木																			
金																			
土																			
日	6	7	8	9	10	11	12	13	14	15	16	17	18	19	20	21	22	23	

1	2	3	4	5	6	7	8	9	10	11	12	13	14	15
月					月					月				
火					火					火				
水					水					水				
木					木					木				
金					金					金				
土					土					土				
日					日					日				

month no. 42

memo

date	6	7	8	9	10	11	12	13	14	15	16	17	18	19	20	21	22	23	24
月																			
火																			
水																			
木																			
金																			
土																			
日	6	7	8	9	10	11	12	13	14	15	16	17	18	19	20	21	22	23	

1	2	3	4	5	6	7	8	9	10	11	12	13	14	15
月					月					月				
火					火					火				
水					水					水				
木					木					木				
金					金					金				
土					土					土				
日					日					日				

month no. 43

memo

date	6	7	8	9	10	11	12	13	14	15	16	17	18	19	20	21	22	23	24
月																			
火																			
水																			
木																			
金																			
土																			
日	6	7	8	9	10	11	12	13	14	15	16	17	18	19	20	21	22	23	

1	2	3	4	5	6	7	8	9	10	11	12	13	14	15
月					月					月				
火					火					火				
水					水					水				
木					木					木				
金					金					金				
土					土					土				
日					日					日				

month / → / no. 44

memo

date	6	7	8	9	10	11	12	13	14	15	16	17	18	19	20	21	22	23	24
月																			
火																			
水																			
木																			
金																			
土																			
日	6	7	8	9	10	11	12	13	14	15	16	17	18	19	20	21	22	23	

1	2	3	4	5	6	7	8	9	10	11	12	13	14	15
月					月					月				
火					火					火				
水					水					水				
木					木					木				
金					金					金				
土					土					土				
日					日					日				

month

no. 45

/ → /

memo

date	6	7	8	9	10	11	12	13	14	15	16	17	18	19	20	21	22	23	24
月																			
火																			
水																			
木																			
金																			
土																			
日	6	7	8	9	10	11	12	13	14	15	16	17	18	19	20	21	22	23	

1	2	3	4	5	6	7	8	9	10	11	12	13	14	15
月					月					月				
火					火					火				
水					水					水				
木					木					木				
金					金					金				
土					土					土				
日					日					日				

month no. 46

→

memo

date	6	7	8	9	10	11	12	13	14	15	16	17	18	19	20	21	22	23	24
月																			
火																			
水																			
木																			
金																			
土																			
日	6	7	8	9	10	11	12	13	14	15	16	17	18	19	20	21	22	23	

1	2	3	4	5	6	7	8	9	10	11	12	13	14	15
月					月					月				
火					火					火				
水					水					水				
木					木					木				
金					金					金				
土					土					土				
日					日					日				

month no. 47

/ → /

memo

date	6	7	8	9	10	11	12	13	14	15	16	17	18	19	20	21	22	23	24
月																			
火																			
水																			
木																			
金																			
土																			
日	6	7	8	9	10	11	12	13	14	15	16	17	18	19	20	21	22	23	

1	2	3	4	5	6	7	8	9	10	11	12	13	14	15
月					月					月				
火					火					火				
水					水					水				
木					木					木				
金					金					金				
土					土					土				
日					日					日				

month　→

no. 48

memo

date	6	7	8	9	10	11	12	13	14	15	16	17	18	19	20	21	22	23	24
月																			
火																			
水																			
木																			
金																			
土																			
日	6	7	8	9	10	11	12	13	14	15	16	17	18	19	20	21	22	23	

1	2	3	4	5	6	7	8	9	10	11	12	13	14	15
月					月					月				
火					火					火				
水					水					水				
木					木					木				
金					金					金				
土					土					土				
日					日					日				

month no. 49

memo

date	6	7	8	9	10	11	12	13	14	15	16	17	18	19	20	21	22	23	24
月																			
火																			
水																			
木																			
金																			
土																			
日	6	7	8	9	10	11	12	13	14	15	16	17	18	19	20	21	22	23	

1	2	3	4	5	6	7	8	9	10	11	12	13	14	15
月					月					月				
火					火					火				
水					水					水				
木					木					木				
金					金					金				
土					土					土				
日					日					日				

month no. 50

memo

date	6	7	8	9	10	11	12	13	14	15	16	17	18	19	20	21	22	23	24
月																			
火																			
水																			
木																			
金																			
土																			
日	6	7	8	9	10	11	12	13	14	15	16	17	18	19	20	21	22	23	

1	2	3	4	5	6	7	8	9	10	11	12	13	14	15
月					月					月				
火					火					火				
水					水					水				
木					木					木				
金					金					金				
土					土					土				
日					日					日				

month no. 51

memo

date	6	7	8	9	10	11	12	13	14	15	16	17	18	19	20	21	22	23	24
月																			
火																			
水																			
木																			
金																			
土																			
日	6	7	8	9	10	11	12	13	14	15	16	17	18	19	20	21	22	23	

1	2	3	4	5	6	7	8	9	10	11	12	13	14	15
月					月					月				
火					火					火				
水					水					水				
木					木					木				
金					金					金				
土					土					土				
日					日					日				

month no. 52

/ → /

memo

date	6	7	8	9	10	11	12	13	14	15	16	17	18	19	20	21	22	23	24
月																			
火																			
水																			
木																			
金																			
土																			
日	6	7	8	9	10	11	12	13	14	15	16	17	18	19	20	21	22	23	

1	2	3	4	5	6	7	8	9	10	11	12	13	14	15
月					月					月				
火					火					火				
水					水					水				
木					木					木				
金					金					金				
土					土					土				
日					日					日				

month / → /

no. 53

memo

date	6	7	8	9	10	11	12	13	14	15	16	17	18	19	20	21	22	23	24
月																			
火																			
水																			
木																			
金																			
土																			
日	6	7	8	9	10	11	12	13	14	15	16	17	18	19	20	21	22	23	

1	2	3	4	5	6	7	8	9	10	11	12	13	14	15
月					月					月				
火					火					火				
水					水					水				
木					木					木				
金					金					金				
土					土					土				
日					日					日				

month

no. 54

memo

date	6	7	8	9	10	11	12	13	14	15	16	17	18	19	20	21	22	23	24
月																			
火																			
水																			
木																			
金																			
土																			
日	6	7	8	9	10	11	12	13	14	15	16	17	18	19	20	21	22	23	

1	2	3	4	5	6	7	8	9	10	11	12	13	14	15
月					月					月				
火					火					火				
水					水					水				
木					木					木				
金					金					金				
土					土					土				
日					日					日				

年　月　日から

年　月　日まで

氏名

ẏPad half origin　2023年9月30日　第1刷発行
●著者／寄藤文平 ●発行者／宇都宮健太朗 ●発行所／朝日新聞出版 〒104-8011 東京都中央区築地5-3-2
●電話／03-5541-8814（編集）03-5540-7793（販売）●印刷所／大日本印刷株式会社
　ISBN 978-4-02-332306-3

紙寸法表

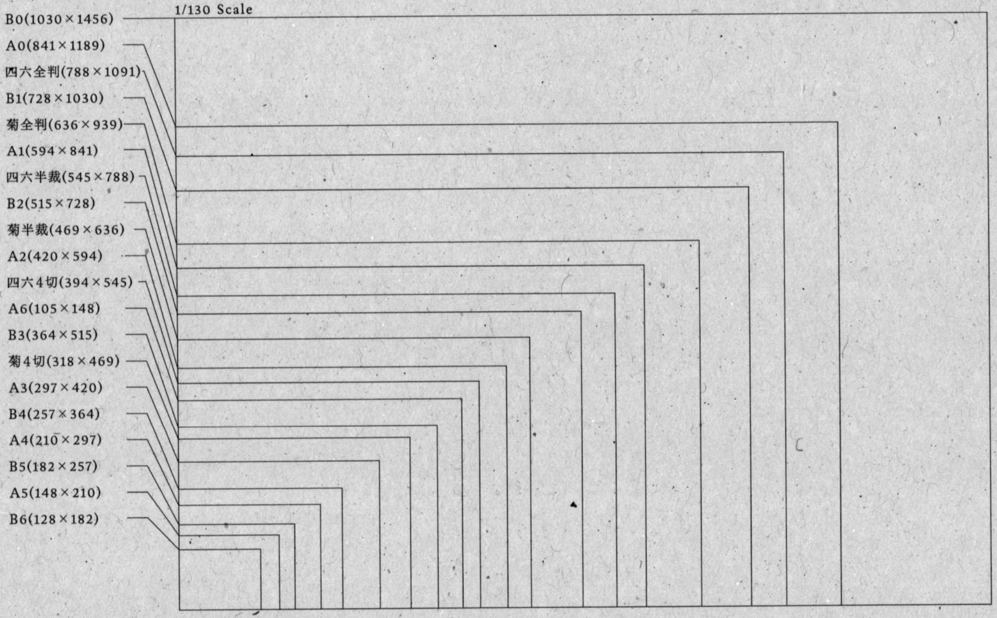

紙加工仕上寸法=mm

A10	26×37	A4	210×297	B10	32×45	B4	257×364	新書判	103×182
A9	37×52	A3	297×420	B9	45×64	B3	364×515	四六判	127×188
A8	52×74	A2	420×594	B8	64×91	B2	515×728	四六倍判	188×254
A7	74×105	A1	594×841	B7	91×128	B1	728×1030	菊判	152×218
A6	105×148	A0	841×1189	B6	128×182	B0	1030×1456	菊倍判	218×304
A5	148×210			B5	182×257				

原紙寸法

A列本判	625×880
B列本判	765×1085
四六判	788×1091
菊判	636×939
ハトロン判	900×1200
AB判	880×1085

角丸見本

R=15mm
R=14mm
R=13mm
R=12mm
R=11mm
R=10mm
R=9mm
R=8mm
R=7mm
R=6mm
R=5mm
R=4mm
R=3mm
R=2mm
R=1mm

線幅見本

1pt≒0.353mm

0.05mm	0.10pt
0.10mm	0.25pt
0.20mm	0.50pt
0.30mm	1.00pt
0.40mm	1.25pt
0.50mm	1.50pt
0.75mm	2.00pt
1.00mm	3.00pt
1.50mm	4.00pt
2.00mm	6.00pt
3.00mm	8.00pt
4.00mm	10.00pt
5.00mm	12.00pt
	14.00pt

文字サイズ見本

1Q=0.25mm

4pt 5pt 6pt 7pt 8pt 9pt 10pt 11pt 12pt 13pt 14pt 15pt 16pt 17pt 18pt

4Q 永 5Q 永 6Q 永 7Q 永 8Q 永 9Q 永 10Q 永 11Q 永 12Q 永 13Q 永 14Q 永 15Q 永 16Q 永 17Q 永 18Q 永 19Q 永 20Q 永 21Q 永 22Q 永 23Q 永 24Q 永 25Q 永 26Q 永

永 永 永 永 永 永 永 永 永 永 永

90Q 60pt 80Q 55pt 70Q 50pt 45pt 62Q 40pt 55Q 50Q 35pt 30pt 44Q 38Q 25pt 32Q 28Q 20pt 27Q 19pt

書体名称表

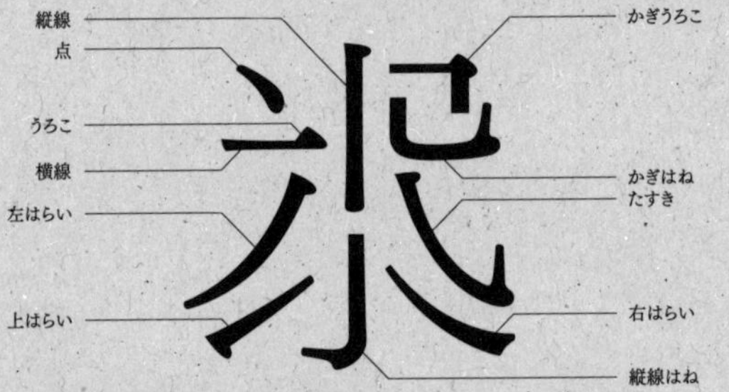

ファイブライン